편입수학만을 위한 스킬편입수학교재

편입수학

응용

skill-math

스킬편입수학
연구소

편입수학-응용

발 행 | 2024년 2월 21일
저   자 | 스킬편입수학 연구소
펴낸이 | 한건희
펴낸곳 | 주식회사 부크크
출판사등록 | 2014.07.15.(제2014-16호)
주   소 | 서울특별시 금천구 가산디지털1로 119 SK트윈타워 A동 305호
전   화 | 1670-8316
이메일 | info@bookk.co.kr

ISBN | 979-11-410-7326-8

www.bookk.co.kr
ⓒ 스킬편입수학 연구소 2024

*점근선−수직,수평,(경)사점근선 (경희,단국,인하 등)

1. $\lim\limits_{x \to \pm\infty} f(x) = \alpha$ 일때 $y = \alpha$는 수평점근선이다.

2. $\lim\limits_{x \to \alpha} f(x) = \pm\infty$ 일때 $x = \alpha$는 수직점근선이다.

3. $\lim\limits_{x \to \pm\infty} (f(x) - (ax + b)) = 0$ 일때 $y = ax + b$는 사점근선이다.

1. $x \in [0, \infty)$일 때, 곡선 $y = \dfrac{3x^2}{x^2 - 1}$의 수직점근선과 수평점근선을 각각 $x = \alpha, y = \beta$ 라 하면 $\alpha - \beta$의 값은?

① 0   ② 1   ③ -1 ④ 2   ⑤ -2

*Ans.*⑤

2. $y = \dfrac{2x^3 + 2x^2 - x + 1}{x^2 - 1}$ 의 그래프의 점근선 중 수직 또는 수평 점근선이 아닌 점근선은?

① $y = x + 1$ ② $y = -x - 1$ ③ $y = 2x + 2$ ④ $y = 2x - 1$ ⑤ $y = 2x + 1$

$Ans.$③

3. 유리함수 $f(x) = \dfrac{3x - 2}{x + 1}$ 의 그래프는 점 (a, b)에 대하여 대칭이다. 이때, $a + b$의 값은?

ⓐ 0 ⓑ 1 ⓒ 2 ⓓ 3 ⓔ 4

$Ans.$③

4. 함수 $y = 3e^{\frac{2}{x}}$ 의 수직점근선을 $x = \alpha$, 수평점근선을 $y = \beta$라 할 때, $\alpha + \beta$의 값은?

① 1 ② 2 ③ 3 ④ 4 ⑤ 5

*심프슨공식(아주,과기,숭실,가천등)

심프슨 공식 : $\displaystyle\int_a^b f(x)dx \approx \frac{h}{3}\{y_0 + 4(y_1 + y_3 + \cdots + y_{2n-1}) + 2(y_2 + y_4 + \cdots + y_{2n-2}) + y_{2n}\}$

사다리꼴 공식 : $\displaystyle\int_a^b f(x)dx \approx \frac{h}{2}(y_0 + 2y_1 + 2y_2 + 2y_3 + \cdots + 2y_{n-1} + y_n)$

1. n=2인 심프슨공식을 이용하여 $\displaystyle\int_1^2 \frac{1}{x}dx$ 의 근삿값을 구하면 $\dfrac{a}{b}$ 이다. 이때, $a+b$의 값은? (단, a와 b는 서로소이다.)

① 60 ② 61 ③ 62 ④ 63

*Ans.*②

2. $n=4$일 때, 심프슨의 공식을 이용하여 정적분 $\int_0^2 \frac{1}{1+x}\,dx$의 근삿값을 계산하면?

① $\ln3$ ② $\frac{11}{5}$ ③ $\frac{11}{10}$ ④ $\frac{67}{60}$

*Ans.*③

3. n=4 일 때, $\int_0^\pi \sin x\,dx$ 를 심프슨 공식으로 구한 근삿값 A와 사다리꼴 공식으로 구한 근삿값 B에 대하여, 6A−4B는?
① 0 ② $\sqrt{2}\pi$ ③ $2\sqrt{2}\pi$ ④ $4\sqrt{2}\pi$

*Ans.*②

4. n=4일 때, $\int_1^5 \frac{1}{x}dx$ 를 심프슨 공식으로 구한 근삿값은?

① $\frac{73}{45}$ ② $\frac{76}{45}$ ③ $\frac{79}{45}$ ④ $\frac{82}{45}$

*Ans.*①

5. $n=6$일 때, 사다리꼴 공식 (Trapezoidal Rule)을 이용한 정적분 $\int_0^\pi x\sin x dx$의 근삿값은?

① $\frac{2+\sqrt{3}}{12}\pi^2$ ② $(2-\sqrt{3})\pi^2$ ③ $\frac{1+\sqrt{3}}{8}\pi^2$ ④ $\frac{\sqrt{3}-1}{2}\pi^2$

*Ans.*①

*확률밀도함수 (성대,과기,국민등)

*확률변수 : 어떤 시행에서 표본공간의 각 원소에 하나의 실수가 대응되는 함수
$P(X=x)$: 확률변수 X가 어떤 값 x를 가질 확률

① 이산확률변수 : 확률변수 X가 가질 수 있는 값이 유한개이거나 무한히 많더라도 자연수와 같이 셀수있는 경우

② 연속확률변수 : 확률변수 X가 어떤 범위에 속하는 모든 실수의 값을 가질때

③ 확률분포 : 이산확률변수 X가 취할 수 있는 각각의 값 x_i와 그 값을 취할 확률

(1) 확률변수 X의 확률분포 $P(X=x_i)=p_i\,(i=1,2,\cdots,n)$에 대하여 다음을 정의한다.

(i) 평균(기댓값) : $E(X)=m=x_1p_1+x_2p_2+\cdots+x_np_n=\sum_{i=1}^{n}x_ip_i$

(ii) 분산 : $V(x)=E((X-m)^2)=\sum_{i=1}^{n}(x_i-m)^2p_i$

  1) $V(X)=E(X^2)-\{E(X)\}^2$ [확률변수제곱의 평균 − 평균의 제곱]

(iii) 표준편차 : $\sigma(X)=\sqrt{V(X)}$ [$\sqrt{분산}$]

④ 확률밀도함수 : 연속확률변수 X가 $\alpha\le X\le\beta$의 임의의 값을 취하고, 이 범위에서 함수 $f(x)$가 다음 조건을 만족할 때, $f(x)$를 X의 확률밀도함수 라고 한다.

성질
1) $\alpha\le X\le\beta$에서 $f(x)\ge0$이다.
2) $y=f(x)$의 그래프와 x축 및 두 직선 $x=\alpha,\,x=\beta$로 둘러싸인 부분의 넓이는 1이다.
3) $\displaystyle\int_{-\infty}^{\infty}f(x)dx=1\quad\left(\because\sum P(x)=1\right)$
4) $\displaystyle\int_{-\infty}^{\infty}xf(x)dx=m\quad\left(\because E(x)=\sum xP(x)\right)$
5) $\displaystyle\int_{-\infty}^{\infty}(x-m)^2f(x)dx=\sigma^2\ \left(\because E(\{x-m\}^2)\right)=\sigma^2(x)$

1. 확률변수 X의 확률밀도함수 $f(x)$가 다음과 같이 정의된다.

$$f(x) = \begin{cases} \dfrac{c}{(1+x)^3}\,(c는\,상수)\,, & x \geq 0 \\ 0 & , \;\; x < 0 \end{cases}$$

이 때, X의 기댓값은?

① 1 ② 2 ③ 3 ④ 4 ⑤ 5

$Ans.①$

2. 함수 $f(x) = \dfrac{k}{x^2+1}(-\infty < x < \infty)$가 확률변수 X의 확률밀도함수일 때, $k \times P$ $(|X| \geq 1)$는?

① $\dfrac{\pi}{4}$ ② $\dfrac{1}{4\pi}$ ③ $\dfrac{\pi}{2}$ ④ $\dfrac{1}{2\pi}$

$Ans.④$

3. f가 확률밀도함수일 때, f의 평균은 다음과 같이 정의된다.

$$\int_{-\infty}^{\infty} xf(x)dx$$

0이 아닌 상수 c에 대하여 함수 f가 $f(x) = \begin{cases} 0 & , \; x < 0 \\ ce^{-cx} & , \; x \geq 0 \end{cases}$ 로 주어질 때, 함수 f의 평균은?

① $\dfrac{1}{c^2}$ ② $\dfrac{1}{c}$ ③ c ④ c^2

$Ans.②$

*속도,속력,가속도(건국,과기,이대,서강,단국,가천 등)

1. 어떤 물체의 시각 t 일 때, 위치가 $f(t) = \cos t + \sqrt{3}\sin t$ 이다. 이 물체의 가속도가 최소에서 최대로 될 때까지 이동한 거리가 될 수 있는 것은?
① 1 ② 2 ③ 4 ④ 6

$Ans.③$

2. 질량이 1인 물체가 속력 v(t)로 떨어질때, 물체가 받는 힘은 $-10-v(t)$이다. t=0일 때 물체의 속력이 0이고 위치가 10이라면, t=ln5 일 때 물체의 속력과 위치는?
① 8, 20−10ln5 ② 8, 18−10ln5 ③ 10, 20−10ln5 ④ 10, 18−10ln5

*Ans.*②

3. 한 물체가 삼차원에서 $(\cos t, t, \sin t)$의 좌표로 움직이고 있다. 이 물체가 $t=0$ 에서 $t=1$초 사이에 이동거리를 구하시오.

Ans. $\sqrt{2}$

4. 지름이 $2km$인 원 모양의 호수가 있다. 호수의 지름의 한 쪽 끝 지점 A에서 출발하여 다른 쪽 끝 지점 B까지 가려고 한다. A에서 C까지는 속력이 $10km/h$인 배를 타고 직선으로 간 후, 다시 C에서 B까지 호수 가장자리를 일정한 속력으로 자전거를 타고 간다고

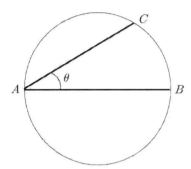

하자. A에서 C를 거쳐 B까지 가는데 걸리는 시간이 최대가 되는 것은 $\theta = \dfrac{\pi}{6}$일 때라고 하면 자전거의 속력은?

① $20km/h$ ② $\dfrac{20\sqrt{3}}{3}km/h$ ③ $40km/h$ ④ $40\sqrt{2}\,km/h$

$Ans.$①

5. 길이 $L = \sqrt{13}\,m$의 막대 AB가 $60°$ 경사면을 따라 미끄러진다. 막대 끝 A가 경사면을 따라 $1m/$초의 일정한 속도로 내려온다고 하자. A가 경사면 $1m$ 남긴 위치를 지나갈 때, 막대의 반대쪽 끝 B가 바닥에서 움직이는 속도는?

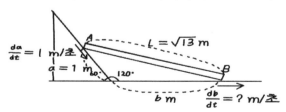

① $\dfrac{5}{7}m/$초 ② $\dfrac{4}{5}m/$초 ③ $\dfrac{5}{4}m/$초 ④ $\dfrac{7}{5}m/$초

$Ans.$①

6. 한 남자가 P지점에서 $1.5m/\sec$로 북쪽을 향하여 걷기 시작한다. 5초 후 한 여자가 P의 동쪽으로 $80m$ 떨어진 지점에서 $2m/\sec$로 남쪽을 향하여 걷기 시작한다. 이 여자가 걷기 시작한지 15초 후, 두 사람은 얼마의 속도로 멀어지는가?

① $1.9m/\sec$ ② $2.1m/\sec$ ③ $2.3m/\sec$ ④ $2.5m/\sec$

*Ans.*②

7. 두 직선 도로가 교차로에서 $\dfrac{\pi}{3}$의 각도로 갈라진다. 자동차 두 대가 교차로에서 동시에 출발하는데, 첫 번째 자동차는 $60km/h$의 속도로 달리고 두 번째 자동차는 다른 도로를 $100km/h$의 속도로 달린다. 30분 뒤에 두 자동차 사이의 거리의 변화율은?

① $10\sqrt{17}\,km/h$ ② $10\sqrt{19}\,km/h$ ③ $20\sqrt{17}\,km/h$ ④ $20\sqrt{19}\,km/h$

*Ans.*④

8. 처음 속도 $8\,m/\sec$로 도로 위에 공을 굴렸다. 이 공은 일정한 비율로 감속하여 $36m$굴러가서 정지했다. 공이 정지할 때까지의 시간은?

① 7초　　　② 8초　　　③ 9초　　　④ 10초　　　⑤ 11초

Ans. ③

9. 위치벡터가 $r(t)=(2\cos t+\cos(10t),\,2\sin t+\sin(10t))$인 물체의 속력이 최소가 되는 t의 값은?

① $\dfrac{\pi}{9}$　② $\dfrac{\pi}{8}$　③ $\dfrac{\pi}{7}$　④ $\dfrac{\pi}{6}$　⑤ $\dfrac{\pi}{5}$

Ans. ①

---

*라이프니츠 $(Leibniz)$ 곱미분 정리
함수 f, g가 n계 도함수를 가질 때, fg의 n계 도함수는 다음과 같다.

$$(fg)^{(n)} = {}_nC_0 f^{(n)}g + {}_nC_1 f^{(n-1)}g^{(1)} + \cdots + {}_nC_r f^{(n-r)}g^{(r)} + \cdots + {}_nC_n fg^{(n)} = \sum_{r=0}^{n} {}_nC_r f^{(n-r)}g^{(r)}$$

$Ex)$ ① $(fg)^{(1)} = f'g + fg'$
② $(fg)^{(2)} = f''g + 2f'g' + fg''$
③ $(fg)^{(3)} = f'''g + 3f''g' + 3f'g'' + fg'''$

*이항정리

: $(a+b)^n = {}_nC_0 a^n + {}_nC_1 a^{n-1}b + {}_nC_2 a^{n-2}b^2 + \cdots + {}_nC_r a^{n-r}b^r + \cdots + {}_nC_n b^n = \sum_{r=0}^{n} {}_nC_r a^{n-r}b^r$

$_nC_r a^{n-r}b^r$을 일반항, $_nC_0, {}_nC_1, \cdots, {}_nC_n$을 이항계수라고 한다.(단, n은 양의정수)
$Ex)$ $(a+b)^1 = a + b$
$(a+b)^2 = a^2 + 2ab + b^2$
$(a+b)^3 = a^3 + 3a^2b + 3ab^2 + b^3$

*조합
1)정의 : 서로 다른 n개에서 순서에 관계없이 r개를 택하여 만든 집합
2)표현 : $_nC_r = \binom{n}{r} = \dfrac{n!}{r!(n-r)!}$
3)성질 : $_nC_0 = 1, {}_nC_n = 1, {}_nC_r = {}_nC_{n-r}, {}_nC_1 = n$

*순열
1)순열의 정의 : 서로 다른 n개중 r개를 택하여 이들의 순서를 생각하여 일렬로 배열.
2)표현 : $_nP_r$
3)성질
① $_nP_r = n(n-1)(n-2) \times \cdots \times (n-r+1)$ ② $_nP_r = \dfrac{n!}{(n-r)!}$ ③ $_nP_n = n!, {}_nP_0 = 1$

이대,광운,서강,중대 등

1. $\displaystyle\sum_{i=0}^{n} \binom{n}{i}\binom{n}{i}$ 을 n의 식으로 나타내시오.

① 2^{2n} ② $\binom{2n}{n}$ ③ 2^n ④ $\binom{2n-1}{n}$ ⑤ 3^n

$Ans.$②

2. 집합 I에서 두 함수 f와 g의 n계 도함수가 존재할 때 다음 식의 값을 구하면?

$$(fg)^{(n)}(x) - \sum_{r=1}^{n} \frac{n!}{(n-r)!r!} f^{(n-r)}(x)g^{(r)}(x), \ x \in I$$

① 0   ② $f^{(n)}(x)g(x)$ ③ $f(x)g^{(n)}(x)$ ④ 1   ⑤ -1

*Ans.*②

3. 구간 I에서 무한번 미분 가능한 두 함수 f와 g의 곱 fg의 10계 도함수를 다음과 같이 쓸 때 $a_0 + a_2 + a_4 + a_6 + a_8 + a_{10}$의 값은?

$$(fg)^{(10)}(x) = \sum_{r=0}^{10} a_r f^{(10-r)}(x)g^{(r)}(x), x \in I$$

① 512   ② 511   ③ 1024   ④ 1023   ⑤ 1025

*Ans.*①

4. 7번 미분가능한 임의의 두 함수 $f,g : R \to R$에 대하여
$(fg)^{(7)} = f^{(7)}g + a_1 f^{(6)}g' + a_2 f^{(5)}g^{(2)} + \cdots + a_6 f'g^{(6)} + fg^{(7)}$ 으로 나타낼 때,
상수 $a_1, a_2, \cdots, a_6$의 평균은?

① 20 ② 21 ③ 24 ④ 28 ⑤ 35

5. 급수 $\displaystyle\sum_{r=2}^{8} \binom{8}{r} 2^{8-r}(-3)^r$의 값을 계산하시오. $\left(\text{단, } \binom{8}{r} = {}_8C_r \right)$

① $9 \cdot 2^8 - 1$ ② $5 \cdot 2^9 - 1$ ③ $5 \cdot 2^9 + 1$ ④ $11 \cdot 2^8 + 1$ ⑤ $13 \cdot 2^8 + 1$

*Ans.*④

6. 다음 값을 계산하시오. (단, $\binom{m}{n}$ 은 조합의수 $_mc_n$ 을 의미한다.)

$$\binom{2016}{1}-\binom{2016}{2}+\binom{2016}{3}-\cdots+\binom{2016}{2015}$$

① 2 ② 2016 ③ 1 ④ 0 ⑤ -1

*Ans.*①

7. 자연수 n에 대하여 $\sum_{i=0}^{n}\binom{2n+1}{2i}$의 값을 구하시오.

① 2^{2n} ② 2^{2n+1} ③ 2^{2n-1} ④ 2^{n} ⑤ 2^{n-1}

*Ans.*①

* 확률(Probability)$=\dfrac{\text{그 조건의 경우의 수}}{\text{전체의 경우의 수}}$

$P(A)$: 사건 A가 일어날 확률
$P(A^C)$: 사건 A가 일어나지 않을 확률 $\Rightarrow 1-P(A)$

* 조건부 확률 : 표본공간 S의 두 사건 A,B에 대하여 확률0이 아닌 사건 A가 일어났다고 가정할 때, 사건 B가 일어날 확률을 사건 A가 일어났을 때의 조건부 확률 이라고 하고, 기호로 $P(B|A)$와 같이 나타낸다. $P(A)>0$ 일때, $P(B|A)=\dfrac{P(A\cap B)}{P(A)}$

* 확률의 곱셈정리

(1) $P(A)>0, P(B)>0$인 두 사건 A, B가 동시에 일어날 확률
  $\Leftrightarrow P(A\cap B)=P(A)P(B|A)=P(B)P(A|B)$

① 사건의 독립(복원추출) : 두사건 A,B에 대하여 사건 A가 일어나거나 일어나지 않는 것이 사건B가 일어날 확률에 영향을 미치지 않을때, 사건 A,B는 서로 독립이다.
$\Leftrightarrow P(B|A)=P(B|A^C)=P(B)$

② 사건의 종속(비복원추출) : 두사건 A,B에 대하여 사건 A가 일어나는 것이 사건 B가 일어날 확률에 영향을 미칠 때, 사건 A,B는 서로 종속이라 한다.
$\Leftrightarrow P(B|A)\neq P(B|A^C)$

*(이대,인하등)

1. 두 사건 A, B는 $P(A) = \frac{1}{2}P(B)$, $P(A \cap B^C) = \frac{2}{25}$를 만족한다. 두 사건 A, B가 독립일 때, $P(A \cap B)$는?

① $\frac{1}{100}$ ② $\frac{1}{50}$ ③ $\frac{3}{100}$ ④ $\frac{1}{25}$ ⑤ $\frac{1}{20}$

*Ans.*②

2. 독립 사건 A와 B의 확률이 $P(A) = \frac{1}{3}$, $P(B) = \frac{1}{2}$일 때, $P(A^C \cap B^C)$는?

① $\frac{1}{6}$ ② $\frac{1}{5}$ ③ $\frac{1}{4}$ ④ $\frac{1}{3}$ ⑤ $\frac{1}{2}$

*Ans.*④

3. 두 사건 A, B는 독립이고 $P(A \cap B^c) = \dfrac{1}{3}$, $P(A \cup B) = \dfrac{2}{3}$를 만족할 때, 확률 $P(A)$는?

① $\dfrac{1}{3}$ ② $\dfrac{5}{12}$ ③ $\dfrac{1}{2}$ ④ $\dfrac{7}{12}$ ⑤ $\dfrac{2}{3}$

Ans. ③

4. 두 사건 A, B는 독립이고, $P(A \cap B) = \dfrac{1}{6}$, $P(A \cup B^C) = \dfrac{2}{3}$를 만족할 때, 확률 $P(A)$는?

ⓐ $\dfrac{1}{12}$ ⓑ $\dfrac{1}{6}$ ⓒ $\dfrac{1}{4}$ ⓓ $\dfrac{1}{3}$ ⓔ $\dfrac{5}{12}$

Ans. ⓓ

5. 7명 중에서 3명을 뽑아서 일렬로 줄 세우는 방법?

Ans. $_7P_3 = 7 \times 6 \times 5$

* n명 중에 r명을 한 줄로 세우는 경우의 수 : $_nP_r$

6. 남자5명, 여자3명을 일렬로 줄 세울 때, 여자가 이웃하도록 줄 세우는 방법은?
Ans.$6! \times 3!$

* n명을 한줄로 세우는 경우의 수 : $_nP_n = n!$

7. 6명의 여자와 3명의 남자 중 2명의 대표를 뽑을 때, 적어도 한 명은 여자일 확률을 구하시오.

8. 여섯 명의 사람들을 세 개의 방 A, B, C에 배치하되 빈 방이 생기지 않도록 배치하는 방법의 수는?

ⓐ 480   ⓑ 490   ⓒ 540   ⓓ 726   ⓔ 3240

Ans.ⓒ

9. $0 \le k \le l$을 만족하는 모든 정수쌍 k, l에 대하여 실수 $a_{l,k}$가 주어져 있으며, 다음의 조건들을 만족한다.

(1) 모든 $l \ge 0$에 대하여 $a_{l,l} = a_{l,0} = 1$

(2) $0 \le k < l$인 모든 k, l에 대하여, $a_{l+1, k+1} = a_{l,k} + a_{l, k+1}$

이 때, $a_{8,4}$를 구하시오

*이대,과기,인하,숙대,단국,아주등 전대학

1. 반지름이 1인 원판을 밑면으로 하고 그 위에 반지름이 1인 반구면을 뚜껑으로 하는 밀폐 용기를 만들었다. 위와 아래가 막힌 원통을 밀폐 용기 안에 세워서 넣고자 한다. 이때, 원통의 겉넓이(위, 아래, 옆면적의 합)가 최대가 되도록 하는 원통의 반지름은?

① $\dfrac{\sqrt{2-\sqrt{2}}}{2}$ ② $\dfrac{\sqrt{2+\sqrt{2}}}{2}$ ③ $\dfrac{\sqrt{2+\sqrt{2}}}{3}$ ④ $\dfrac{\sqrt{2-\sqrt{2}}}{3}$ ⑤ $\dfrac{1}{3}$

*Ans.*②

2. 1L를 담을 수 있는 뚜껑이 없는 원기둥 모양의 저장용기의 겉넓이가 최소가 되는 반지름 r과 높이 h에 대하여, $\dfrac{h}{r}$는? (단, 저장용기의 두께는 무시한다.)

① $\dfrac{1}{4}$ ② $\dfrac{1}{2}$ ③ 1 ④ 2

*Ans.*③

3. 반지름이 10인 원을 그림과 같이 자르고 붙여 원뿔모양의 컵을 만들 때, 컵의 부피를 구하시오.

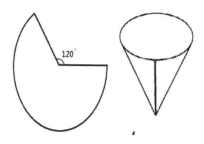

① $\dfrac{200\sqrt{2}}{81}\pi$ ② $\dfrac{400}{3}\pi$ ③ $\dfrac{1886}{3}\pi$ ④ $\dfrac{4000\sqrt{5}}{81}\pi$ ⑤ $\dfrac{1400}{3}\pi$

4. 반지름이 $10cm$인 반구 모양의 그릇에 초당 $1cm^3$의 속도로 물을 붓고 있다. 물의 높이가 $5cm$일 때 수면의 상승속도는 초당 몇 cm인가?

① $\dfrac{1}{300\pi}$ ② $\dfrac{1}{150\pi}$ ③ $\dfrac{1}{100\pi}$ ④ $\dfrac{1}{75\pi}$ ⑤ $\dfrac{1}{60\pi}$

$Ans.$ ④

5. 정육면체의 부피가 $10cm^3/\sec$의 비율로 증가하고 있다.
 한 변의 길이가 $30cm$일 때 겉넓이의 증가율은?

① $\dfrac{1}{3}cm^2/\sec$ ② $\dfrac{2}{3}cm^2/\sec$ ③ $1cm^2/\sec$ ④ $\dfrac{4}{3}cm^2/\sec$ ⑤ $\dfrac{5}{3}cm^2/\sec$

$Ans.$ ④

6. $20m$높이의 절벽 꼭대기에 무게$20kg$, 길이$10m$의 밧줄이 매달려 있다. 이 밧줄을
 절벽 꼭대기로 들어 올리는데 필요한 일은?

① 100kgm ② 110kgm ③ 121kgm ④ 144kgm ⑤ 156kgm

$Ans.$ ①

7. 삼각형 $\triangle ABC$에서 $c = \overline{AB}$는 $3cm/\sec$, $b = \overline{AC}$는 $1cm/\sec$, 그리고 이 두 변 사이의 각 α는 0.1 라디언/$\sec$의 변화율로 각각 증가한다면, $c = 10cm$, $b = 8cm$, $\alpha = \dfrac{\pi}{6}$일 때 삼각형의 넓이의 변화율은 몇 $cm^2/\sec$인가?

① $2\sqrt{3} + 8.5$ ② $2\sqrt{3} + 7$ ③ $\sqrt{3} + 8.5$ ④ $\sqrt{3} + 7.5$ ⑤ $\sqrt{3} + 7$

Ans. ①

8. 그림과 같이 밑면의 반지름의 길이가 $2cm$, 높이가 $5cm$인 원뿔 모양의 종이컵에 물을 초당 $\dfrac{4}{5}cm^3$의 일정한 속도로 넣고 있다. 물의 깊이가 $3cm$일 때, 수면이 상승하는 속력 $(cm/초)$은?

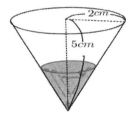

① $\dfrac{5}{9\pi}$ ② $\dfrac{2}{3\pi}$ ③ $\dfrac{7}{9\pi}$ ④ $\dfrac{8}{9\pi}$

Ans. ①

9. 곡선 $y = x^4$을 y축 주위로 회전하여 얻어진 물탱크에 물을 넣고 있다. 물의 깊이가 $4cm$일 때 수면의 높이가 $2cm/\sec$의 속도로 증가하고 있다면, 그 때 수면의 넓이의 변화율은 몇 $cm^2/\sec$인가?

① 4π ② 2π ③ π ④ $\dfrac{3}{2}\pi$ ⑤ $\dfrac{\pi}{2}$

$Ans.$⑤

10. 원통의 밑면의 반지름은 $3\,cm/\sec$의 일정한 속도로 증가하고 높이는 $4\,cm/\sec$의 일정한 속도로 감소하고 있다. 반지름과 높이가 $10cm$로 같게 되는 순간 원통의 부피의 변화율은?

① $100\pi\,cm^3/\sec$ ② $200\pi\,cm^3/\sec$ ③ $300\pi\,cm^3/\sec$ ④ $400\pi\,cm^3/\sec$
⑤ $500\pi\,cm^3/\sec$

11. 타원 $\dfrac{x^2}{4}+\dfrac{y^2}{16}=1$ 위에 있는 제 1사분면의 점 (a,b)에서의 접선과 좌표축으로 둘러싸인 삼각형의 넓이의 최솟값은?

① 4   ② 8   ③ 16   ④ 32

12. 타원 $\dfrac{x^2}{9}+\dfrac{y^2}{4}=1$과 직선 $y=x$의 두 교점을 A,B라 하자. 타원 위의 점 $P(a,b)$에 대하여 삼각형 PAB의 넓이가 최대가 될 때, $|a|+|b|$의 값은?

ⓐ $\dfrac{9}{\sqrt{13}}$ ⓑ $\dfrac{10}{\sqrt{13}}$ ⓒ $\dfrac{11}{\sqrt{13}}$ ⓓ $\dfrac{12}{\sqrt{13}}$ ⓔ $\sqrt{13}$

* ① 반원 $y = \sqrt{a^2 - x^2}$ 에 내접하는 직사각형 최대넓이 $A = a^2$

  ② 타원 $\dfrac{x^2}{a^2} + \dfrac{y^2}{b^2} = 1$ 에 내접하는 직사각형의 최대넓이 $A = 2ab$

  ③ 원 $x^2 + y^2 = a^2$에 내접하는 직사각형의 최대넓이 $A = 2a^2$

  ④ 타원 $\dfrac{x^2}{a^2} + \dfrac{y^2}{b^2} = 1$에 내접하는 삼각형의 최대넓이 $A = \dfrac{3\sqrt{3}}{4} ab$

  ⑤ 원 $x^2 + y^2 = a^2$에 내접하는 삼각형의 최대넓이 $A = \dfrac{3\sqrt{3}}{4} a^2$

  ⑥ 타원 $\dfrac{x^2}{a^2} + \dfrac{y^2}{b^2} = 1$에 내접하는 n각형의 최대넓이 $A = \dfrac{n}{2} ab \sin\left(\dfrac{2\pi}{n}\right)$

  ⑦ 원 $\dfrac{x^2}{r^2} + \dfrac{y^2}{r^2} = 1$에 내접하는 n각형의 최대넓이 $A = \dfrac{n}{2} r^2 \sin\left(\dfrac{2\pi}{n}\right)$

  ⑧ $y = a^2 - x^2$에 내접하는 직사각형의 최대넓이 $A = \dfrac{4a^3}{3\sqrt{3}}$

  ⑨ $y = a^2 - x^2$의 접선의 x절편, y절편, 원점이 이루는 삼각형의 최소넓이 $A = \dfrac{4a^3}{3\sqrt{3}}$

  ⑩ 반지름이 a인 구에 내접하는 직원기둥 최대부피 $V = \dfrac{4a^3}{3\sqrt{3}} \pi$

13. 어떤 사람이 반지름이 1m이고 높이가 1m인 원뿔 모양의 텐트에서 야영을 하고 있다. 추운 날씨 때문에 텐트 외피는 원뿔 모양을 그대로 유지하고 있는데 텐트 내피가 가라앉았다. 텐트 내피상의 각 점은 원뿔의 축까지의 거리가 r 이고, 높이가 h일 때, $r = (1-h)^2$을 만족한다. 텐트 내피와 외피 사이 공간의 부피는?

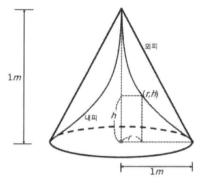

① $\dfrac{\pi}{15}$ ② $\dfrac{2\pi}{15}$ ③ π ④ $\dfrac{3\pi}{2}$ ⑤ 2π

14. 쿠민이는 아래 그림과 같이 폭이 $2\,km$인 강둑의 A지점에서 수영을 시작하여 반대편 강둑으로 건너가서 $10\,km$우측에 위치한 B지점에 가려고 한다. 똑바로 수영을 하여 강을 건너 C로 가서 B까지 뛰어갈 수도 있고, 수영으로만 B까지 이동할 수도 있으며, C와 B사이의 적당한 지점D로 가서 D에서 B까지 뛰어갈 수도 있다. 쿠민이의 수영 속력은 $4\,km/h$이고 뛰는 속력은 $7\,km/h$이다, 최단시간 경로로 이동하기 위하여 쿠민이는 C에서 우측으로 몇 km떨어진 거리까지 수영해야 할까?

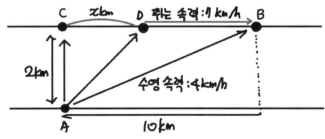

① $\dfrac{\sqrt{31}}{33}$ ② $\dfrac{7\sqrt{31}}{33}$ ③ $\dfrac{8\sqrt{33}}{33}$ ④ $\dfrac{10\sqrt{33}}{33}$

15. 곡선 $y = e^{ax}$ $(a > 0)$ 위의 점 A에서 접선 l이
원점 O를 지난다. 점 A에서 l에 수직인 직선이 x축과 만나는 점을 B라고 할 때, 삼각형
AOB의 넓이를 최소로 하는 a의 값은?

① e ② $\dfrac{1}{e}$ ③ e^2 ④ 1

16. 곡선 $y = \ln x$ 위의 점 A에서의 접선 l이 원점 O를 지난다. 점 A에서 l에 수직인
직선이 y축과 만나는 점을 B라 할 때, 삼각형 AOB의 넓이는?

① e ② $\dfrac{e}{2}$ ③ $\dfrac{e + e^3}{2}$ ④ $e + e^3$

17. 양의 실수에 정의 된 함수 $f(x) = \ln x$에 대하여, 곡선 $y = f(x)$상의 점 $(t, f(t))$에서의 접선과 x축, y축과 만나는 점을 각각 P, Q라 하자. 영역 $0 < t \le e$에서 삼각형 $\triangle OPQ$ 넓이의 최댓값이 ae^b일 때, $a^2 + b^2$의 값을 구하시오. (단, O는 원점을 의미한다.)

Ans. 5

18. $\dfrac{1}{\sqrt{1-x}}$의 매클로린 급수 $a_0 + a_1 x + a_2 x^2 + \cdots + a_n x^n + \cdots$의 수렴반지름을 R이라고 할 때, $a_1 + R$의 값은?

① 0   ② $\dfrac{1}{2}$ ③ 1   ④ $\dfrac{3}{2}$

19. 다음 조건을 만족시키는 함수 $f(x)$의 $x=4$에서 테일러 급수의 수렴 반지름을 구하면?

$$f^{(n)}(4)=\frac{(-2)^n n!}{3^n(n+1)}$$

① $\dfrac{1}{2}$ ② $\dfrac{2}{3}$ ③ 1 ④ $\dfrac{3}{2}$ ⑤ 2

20. 중심이 -3인 함수 $f(x)=\dfrac{2}{x}$의 테일러 급수의 수렴반지름을 구하면?

① 1 ② 2 ③ 3 ④ 6

*정오문제

1. 다음 중 참인 것을 모두 포함하는 집합은?

㉠. 함수 f가 구간 I의 모든 점에서 연속이면 함수 f는 구간 I에서 연속이다.

㉡. 함수 g가 점 a에서 연속이고 함수 f가 점 $g(a)$에서 연속이면 함수 $f(g(a))$는 점 a에서 연속이다.

㉢. 함수 f가 점 a에서 연속이면 함수 f는 점 a에서 미분 가능하다.

① { ㉠, ㉡ }   ② { ㉡, ㉢ }   ③ { ㉠, ㉢ }   ④ { ㉠, ㉡, ㉢ }

2. 다음 설명 중 옳은 것의 개수는?   (단, $[x]$는 x보다 크지 않은 최대의 정수이다.)

> ㄱ. 직선 $y = 2x + 3$은 곡선 $2x^3 - x^2y + 3x^2 - x + y = 5$의 경사점근선이다.
>
> ㄴ. 함수 f와 g가 연속함수가 아니면 $f + g$ 또는 fg는 연속함수가 아니다.
>
> ㄷ. $f(x) = -x^2 + x$, $g(x) = x - [x]$에 대하여 $(f \circ g)(x)$는 연속함수이다.
>
> ㄹ. 함수 $f(x) = 3x - 2\cos x + 1$에 대하여, $(f^{-1})'(-1) = \dfrac{1}{3}$ 이다.

① 1개 ② 2개 ③ 3개 ④ 4개

Ans. ③

3. 다음 중 참인 것을 모두 고르면?

> 가. 폐구간 $[a,b]$에서 정의된 함수 $f(x)$가 연속이고 역함수 $f^{-1}(x)$가 존재하면, $f(x)$는 (a,b)에서 증가함수 또는 감소함수이다.
>
> 나. 폐구간 $[a,b]$에서 연속인 함수 $f(x)$는 $[a,b]$에서 최댓값과 최솟값을 가진다.
>
> 다. 폐구간 $[a,b]$에서 정의된 함수 $f(x)$가 개구간 (a,b)에서 미분가능하면, $f(x)$는 $[a,b]$에서 최댓값을 가진다.
>
> 라. 미분가능한 두 함수 $f(x)$와 $g(x)$가 개구간 (a,b)에서 $f(x) > g(x)$이면, 동일한 구간에서 $f'(x) > g'(x)$이다.

① 가,나 ② 가,다 ③ 나,라 ④ 다,라

Ans. ①

4. 다음 <보기>에서 옳은 것 만을 있는 대로 고른것은?

> ㄱ. 함수 f 가 닫힌 구간 $[a,b]$ 에서 연속이고
>
> $f(a)f(b) < 0$ 이면 $f(c) = 0$ 이 되는 c 가 열린구간 (a,b) 에 적어도 하나 존재한다.
>
> ㄴ. 함수 f 가 구간 (a,b) 에서 미분가능하면 임의의 $x \in (a,b)$ 에 대하여 $f'(x) \neq 0$ 이면
>
> f 는 (a,b) 에서 일대일함수이다.
>
> ㄷ. 함수 $g(x) = \begin{cases} 0 & (0 \leq x \leq 1) \\ 1 & (1 < x \leq 2) \end{cases}$ 이면, 임의의 $x \in (0,2)$ 에 대하여 $G'(x) = g(x)$ 인 함수
>
> G 가 구간 $(0,2)$ 에서 존재한다.

① ㄱ ② ㄷ ③ ㄱ, ㄴ ④ ㄴ, ㄷ ⑤ ㄱ, ㄴ, ㄷ

Ans. ③

5. 함수 $f(x) = e^x \cos x$ 라고 할 때, 다음 <보기>에서 옳은 것만을 있는 대로 고른 것은?

> ㄱ. $\displaystyle\lim_{x \to -\infty} f(x) = 0$
>
> ㄴ. $\displaystyle\int_0^{\frac{3\pi}{4}} f(x)dx = -\frac{1}{2}$
>
> ㄷ. 임의의 자연수 n 에 대하여 함수 f 가 구간
>
> $(-n\pi, n\pi)$ 에 속하는 a_n 개의 점에서 극값을 가진다고 할 때, $\displaystyle\lim_{n \to \infty} \frac{a_n}{n} = 2$ 이다.

① ㄱ ② ㄱ, ㄴ ③ ㄱ, ㄷ ④ ㄴ, ㄷ ⑤ ㄱ, ㄴ, ㄷ

Ans. ⑤

6. 구간 $\left[0, \dfrac{3\pi}{2}\right]$ 에서 함수 $f(x) = \sin 2x$ 가 다음 정리를 만족시키는 모든 ξ 들의 합은?

> 구간 $[a,b]$ 에서 연속 함수 $f(x)$ 에 대해
> $$\int_a^b f(x)\,dx = (b-a)f(\xi)$$
> 를 만족하는 점 ξ 가 구간 (a,b) 에 적어도 하나 존재한다.

① π ② $\dfrac{3\pi}{2}$ ③ 2π ④ $\dfrac{5\pi}{2}$ ⑤ 3π

Ans. ⑤

7. 함수 $f(x) = 2x^3 - 3x^2 + 2x + 1$ 과 그 역함수 $g(x)$ 에 대하여 다음 <보기>에서 옳은 것만을 있는 대로 고른것은?

> ㄱ. 모든 실수 x 에 대하여 $f'(x) \geq \dfrac{1}{2}$ 이다.
>
> ㄴ. 모든 실수 x 에 대하여 $0 < g'(x) \leq 2$ 이다.
>
> ㄷ. $x < y$ 인 모든 실수 x, y 에 대하여 $0 < g(y) - g(x) \leq 2(y-x)$ 이다.

① ㄱ ② ㄱ,ㄴ ③ ㄱ,ㄷ ④ ㄴ,ㄷ ⑤ ㄱ,ㄴ,ㄷ

Ans. ⑤

8. 음이 아닌 정수 k에 대하여 적분 $f(k) = \int_0^\infty x^k e^{-x^2} dx$를 계산할 때, 다음 중 참인 명제는 몇 개 인가?

> ㄱ. 함수 $f(k)$는 증가함수이다.
> ㄴ. 음이 아닌 정수 n에 대하여 항상
> $f(2n+1) \geq f(2n)$이 성립한다.
> ㄷ. 음이 아닌 정수 n에 대하여 항상
> $f(2n+1) \geq f(2n+3)$이 성립한다.
> ㄹ. 서로 다른 음이 아닌 정수 k_1, k_2에 대하여 항상 $f(k_1) \neq f(k_2)$가 성립한다.

① 0 ② 1 ③ 2 ④ 3

Ans. ①

9. 함수 $f(x)$와 $g(x)$에 대하여 <보기>에서 옳은 것을 모두 고른 것은?

ㄱ. $|f(x)|$가 $x = a$에서 연속이면, $f(x)$도 $x = a$에서 연속이다.

ㄴ. $f(x)$와 $g(x)$가 구간 I에서 증가하면, $f(x)g(x)$도 구간 I에서 증가한다.

ㄷ. $[a, b]$에서 유계인 함수 $f(x)$가 불연속인 점이 유한개이면, $f(x)$는 $[a, b]$에서 적분가능하다.

① ㄱ   ② ㄴ   ③ ㄷ   ④ ㄱ, ㄴ   ⑤ ㄴ, ㄷ

10. 두 함수 $f(x)$와 $g(x)$가 다음을 만족시킨다.

(가) 실수 전체에서 $f''(x)$와 $g''(x)$가 연속이고 열린구간 (a, b)에서 $f''(x) < g''(x)$이다.

(나) $f(b) = g(b)$, $f'(a) < g'(a)$

<보기>에서 옳은 것만을 모두 고른 것은?

<보기>

ㄱ. 열린구간 (a, b)에서 $f(x) > g(x)$이다.

ㄴ. 열린구간 (a, b)에서 $f'(x) < g'(x)$이다.

ㄷ. 열린구간 (a, b)에서 $f(x)$는 증가한다.

① ㄱ   ② ㄴ   ③ ㄱ, ㄴ   ④ ㄴ, ㄷ   ⑤ ㄱ, ㄴ, ㄷ

$* \epsilon - \delta$ 문제

주어진 임의의 양수 ϵ에 대하여, 양수 δ를 적당히 정해서 $0 < |x - a| < \delta$ 하면, $|f(x) - L| < \epsilon$이 성립하는 양수 δ가 존재하면 L의 $f(x)$가 $x = a$에서의 극한값이라 한다.

---

11. 다음 <보기>에서 옳은 것만을 있는 대로 고른 것은?

ㄱ. $x = 0$에서 미분가능한 함수 $f(x)$와 미분가능하지 않은 함수 $g(x)$를 더한 함수 $f(x) + g(x)$는 $x = 0$에서 미분가능하지 않으나, 곱한 함수 $f(x)g(x)$는 $x = 0$에서 미분가능할 수도 있다.

ㄴ. 모든 실수 x에 대하여 $|h(x) - x^2| \leq \sqrt[3]{x^2}$을 만족하는 함수 $h(x)$는 $x = 0$에서 미분가능하다.

ㄷ. $|x - 2| < \delta$이면 $|x^3 - 2x - 4| < \dfrac{1}{10}$을 만족하는 양의 실수 δ가 존재한다.

① ㄱ   ② ㄱ, ㄷ   ③ ㄱ, ㄴ   ④ ㄴ, ㄷ   ⑤ ㄱ, ㄴ, ㄷ

Ans. ②

---

12. 다음 극한 $\lim_{x \to 2}(x^2 + 3) = 7$에 대하여 $\epsilon = \dfrac{1}{2}$인 경우에 대응되는 δ의 최댓값은?

① $\sqrt{4.7} - 2$ ② $\sqrt{4.5} - 2$ ③ $2 - \sqrt{3.5}$ ④ $2 - \sqrt{3.7}$

Ans. ②

13. 다음을 만족시키는 가장 큰 δ의 값은?

$\left| x - \dfrac{\pi}{6} \right| < \delta$이면 $\left| \tan x - \dfrac{1}{\sqrt{3}} \right| < \dfrac{2}{\sqrt{3}}$ 이다.

① $\dfrac{\pi}{6}$ ② $\dfrac{\pi}{3}$ ③ $\dfrac{\pi}{4}$ ④ $\dfrac{\pi}{2}$ ⑤ π

Ans. ①

14. 실수 x에 대해 $f(x)$는 4번 미분가능하고 그 도함수들도 연속이며 $f(0)=0$이라고 하자. 이 때, 다음과 같이 정의된 $g(x)$에 대해 옳지 않은 것은?

$$g(x)=\begin{cases} \dfrac{f(x)}{x} & , x \neq 0 \\ f'(0) & , x = 0 \end{cases}$$

① g는 연속함수 ② $g'(2)=\dfrac{2f'(2)-f(2)}{4}$ ③ $g'(0)=\dfrac{f''(0)}{2!}$ ④ $g''(0)=\dfrac{f^{(3)}(0)}{3!}$
⑤ g'는 연속함수

*Ans.*④

15. 함수 $f:R \rightarrow R$는 $\lim_{x \to -\infty} f(x) = -\infty$, $\lim_{x \to \infty} f(x) = \infty$를 만족하는 순증가 함수이다. 다음 <보기>의 내용 중 옳은 것은 모두 몇 개인가?

ㄱ. 모든 x에 대하여 $f(f(x)) > f(x)$가 성립한다.
ㄴ. f가 모든 점에서 연속이면 역함수가 존재한다.
ㄷ. f가 모든 점에서 연속이면 역함수도 모든 점에서 연속이다.
ㄹ. f가 모든 점에서 미분가능이면 역함수도 모든 점에서 미분가능이다.

① 0개 ② 1개 ③ 2개 ④ 3개 ⑤ 4개

*Ans.*③

16. 함수 $f(x) = \int_x^0 e^t \cos t\, dt$ 에 대한 다음 명제 중 옳은 것은?

① f는 기함수이다.
② $f(x) = 0$의 해가 존재한다.
③ f는 주기가 2π인 함수이다.
④ f는 $x > 0$에서 증가함수이다.
⑤ f의 그래프는 아래로 볼록이다.

$Ans.$ ②

*유계(국민,광운 등)

1. 집합 $A = \left\{ (-1)^n + \dfrac{1}{n} \mid n\text{은 자연수} \right\}$ 의 상한과 하한의 곱은?

① $-\dfrac{5}{2}$ ② $-\dfrac{3}{2}$ ③ $\dfrac{3}{2}$ ④ $\dfrac{5}{2}$

$Ans.$ ②

2. 실수열에 대한 다음 명제 중 참이 아닌 것은?
① 수렴하는 수열은 유계이다.
② 수렴하는 수열은 코오시(Cauchy) 수열이다.
③ 수렴하는 수열은 서로 다른 값으로 수렴하는 두 개의 부분수열을 가질 수 있다.
④ 유계인 단조수열은 수렴한다.

*Ans.*③

3. 연속함수에 대한 다음 명제 중 참인 것을 모두 고르면?
(ㄱ) 함수 $f : (a, b) \to R$이 연속이면, f는 유계이다.
(ㄴ) 연속함수 $f : (a, b) \to R$이 $f(a) < f(b)$를 만족한다. $f(a) < r < f(b)$이면, $r = f(c)$인
   점 c가 a와 b사이에 존재한다.
(ㄷ) 두 연속함수 $f, g : [0, 1] \to R$이 $f(0) < g(0)$이고 $f(1) > g(1)$, $f(c) = g(c)$인 점 c가
   0과 1사이에 존재한다.
(ㄹ) 방정식 $(x^2 - 1)\cos x + \sqrt{2}\sin x = 0$은 열린구간 $\left(0, \dfrac{\pi}{2}\right)$에서 해를 갖지 않는다.

① (ㄱ)　　　　　　② (ㄴ), (ㄷ)　　　　③ (ㄱ), (ㄴ), (ㄷ)　　　④ (ㄴ), (ㄷ), (ㄹ)

*Ans.*②

4. 다음 중 옳은 것을 모두 고르면?

> ㄱ. $\lim\limits_{n \to \infty} \dfrac{n2^n}{3^n}$ 은 수렴한다.
>
> ㄴ. $\lim\limits_{n \to \infty} n \sin \dfrac{1}{n}$ 은 발산한다.
>
> ㄷ. $\lim\limits_{n \to \infty} |a_n| = 0$ 이면, $\lim\limits_{n \to \infty} a_n = 0$ 이다.
>
> ㄹ. $\{a_n\}_{n=1}^{\infty}$ 이 유계이면, $\{a_n\}_{n=1}^{\infty}$ 은 수렴한다.

① ㄱ, ㄴ ② ㄱ, ㄷ ③ ㄴ, ㄹ ④ ㄷ, ㄹ

Ans. ②

5. 다음 중 옳은 것을 모두 고르면?

ㄱ. $f(x) = \begin{cases} e^{-\frac{1}{x^2}} \,, x \neq 0 \\ 0 \qquad , x = 0 \end{cases}$ 는 $x = 0$ 에서 연속이다.

ㄴ. $f(x) = \begin{cases} \dfrac{[x]}{x} \,, x > 0 \\ x\,[x] \,, x \leq 0 \end{cases}$ 는 $x = 0$ 에서 연속이다.

ㄷ. 함수 $f : (a,b) \to R$ 가 (a,b) 에서 연속이면 f 는 유계이다.

ㄹ. $f(x) = \sin(2\pi x\,[x])$ 는 R 에서 연속함수이다.

① ㄱ 　　② ㄴ, ㄷ 　　③ ㄱ, ㄴ, ㄹ 　　④ ㄱ, ㄴ, ㄷ, ㄹ

Ans. ③

6. 다음 중 옳은 것을 모두 고르면?

ⓐ. 두 실수 a와 b에 대하여 $ab = 0$이면 $a = 0$이고 $b = 0$이다.

ⓑ. 집합 $\left\{ x \in R \,|\, x = 1 - \dfrac{1}{n+1}, n \in N \right\}$의 최소 상계는 없다.

ⓒ. $x \geq -1$이고 $n \geq 1$이면, $(1+x)^n \geq 1 + nx$이다.

① ⓐ   ② ⓑ   ③ ⓒ   ④ ⓑ, ⓒ   ⑤ ⓐ, ⓒ

*Ans.*③

*절댓값,가우스(아주,이대,광운,인하,건대등)

1. 평면상의 영역

$\{(x,y) : |x+1| + |y-1| \leq 1\}$을 직선 $y = 2x$주위로 회전하여 얻어진 입체의 부피는?

① $\dfrac{12\pi}{\sqrt{5}}$ ② $\dfrac{8\pi}{\sqrt{5}}$ ③ $\dfrac{4\pi}{\sqrt{5}}$ ④ $\dfrac{\sqrt{5}\,\pi}{4}$ ⑤ $\dfrac{\sqrt{5}\,\pi}{8}$

*Ans.*①

2. $y = 1 - |x|$ 와 x축으로 둘러싸인 도형을 직선 $x = 2$주위로 회전하여 얻어진 회전체의 부피는?

① π ② 2π ③ 3π ④ 4π ⑤ 5π

Ans. ④

3. 두 영역 $|x| + |y| \leq 1$ 과 $|x-1| + |y| \leq 1$ 이 겹쳐진 부분을 직선 $2x + y + 2 = 0$ 에 대해 회전하여 생기는 입체의 부피는?

① π ② $\dfrac{3\pi}{\sqrt{5}}$ ③ $\dfrac{\pi\sqrt{8}}{5}$ ④ $\dfrac{\pi\sqrt{31}}{5}$ ⑤ $\dfrac{\pi\sqrt{41}}{6}$

Ans. ②

4. 두 함수 $f(x) = e^x$ 와 $g(x) = [x + 0.5]$에 대한 다음 명제 중 옳지 않은 것은?

① f는 연속함수이다.

② $f + g$는 불연속함수이다.

③ $\displaystyle\int_{-2}^{2} f(x)g(x)dx = 0$이다.

④ 집합 $\{x | f(x) = g(x)\}$는 공집합이다.

⑤ 모든 실수 x에 대하여 $\{g(x)\}^2 \geq g(x)$이다.

Ans. ③

5. 실수 x에 대하여 $[x]$는 x보다 크지 않은 가장 큰 정수이다. 주어진 설명 중 옳은 것을 모두 고르시오.

a. $y = [x]$와 $y = x - 1$은 무한히 많은 교점을 갖는다.

b. 정의역 $[-1, 1]$에서 $y = [x]$와 $y = [x^3]$의 그래프는 같다.

c. $y = [x]$와 $y = \dfrac{2019}{2020}x$의 교점의 개수는 2020개다.

d. $y = [x]$와 $y = \dfrac{2019}{2020}x - \dfrac{2019}{2020}$의 교점의 개수는 2019개다.

① a,b ② a,c ③ b,c ④ b,d ⑤ c,d

Ans. ④

6. 함수 h는 $h(x) = \begin{cases} 1 - |x| & , |x| < 1 \\ 0 & , |x| \geq 1 \end{cases}$ 일 때, 주어진다. 실수 전체에서 정의된 함수 f에 대응되는 함수 T_f는 $T_f(x) = \int_0^{10} h(x-y)f(y)dy$로 정의된다. 다음 보기 중 옳은 것을 모두 고른 것은?

<보기>

ㄱ. T_f는 우함수 이다.

ㄴ. $T_f(11) = 0$

ㄷ. f가 연속함수이면 T_f는 $x = 1$에서 미분가능하다.

① ㄱ   ② ㄴ   ③ ㄱ, ㄴ   ④ ㄴ, ㄷ   ⑤ ㄱ, ㄴ, ㄷ

$Ans.$②

7. 함수 $f(x) = |x+1|$ 와 $g(x) = x^2 - x$ 에 대해 $f \circ g = g \circ f$가 성립하는 정의역들 중에서 정의역이 가질 수 있는 최대의 원소의 개수를 구하시오. (단, 정의역은 실수의 부분집합이다.)

① 1 ② 2 ③ 3 ④ 4 ⑤ 5

$Ans.$①

8. 좌표평면에서 부등식 $(|x|-1)^2+(|y|-1)^2 \leq 2$ 가 나타내는 영역의 넓이를 구하시오.

① $6\pi+8$ ② $6\pi+6$ ③ $4\pi+8$ ④ $4\pi+6$

Ans. ③

9. 좌표평면에서 부등식 $(x-[x])^2+(y-[y])^2 \leq 2$ 가 나타내는 영역의 넓이는?
(단, $[x]:x$ 를 넘지 않는 최대정수, $0 \leq x \leq 2, 0 \leq y \leq 2$)

① $\dfrac{\pi}{2}$ ② 2 ③ 4 ④ 4π

*최대최소

1. 모든 양의 실수 x에 대하여 다음 부등식이 성립하는 a의 최솟값은?

$$3e^x - 3e^{-x} - 6x - x^3 > ax^5$$

① 1 ② $\dfrac{1}{4}$ ③ $\dfrac{1}{5}$ ④ $\dfrac{1}{20}$ ⑤ $\dfrac{1}{100}$

Ans. ④

2. 모든 양의 실수 x에 대하여 $\dfrac{e^x + e^{-x} - 2 - x^2}{x^4} > a$가 성립하는 a의 최댓값은?

① $\dfrac{1}{12}$ ② $\dfrac{1}{24}$ ③ $\dfrac{1}{36}$ ④ $\dfrac{1}{48}$ ⑤ $\dfrac{1}{60}$

Ans. ①

*실근(이대,인하,아주,광운 등)

1. 방정식 $x^3 - 3cx - 54 = 0$이 서로 다른 세 실근을 갖게 되는 정수 c의 값 중 최솟값은?

① -5　　② 0　　③ 5　　④ 10　　⑤ 15

*Ans.*④

2. $a > 1$에 대하여 함수 $f(x) = \dfrac{x^3 + k}{a^x}$ 가 3개의 극값을 가지도록 하는 k의 범위는?

① $(0,1)$　② $\left(0, \dfrac{2}{\ln a}\right)$　③ $\left(\dfrac{2}{\ln a}, 0\right)$　④ $\left(0, \dfrac{4}{(\ln a)^3}\right)$　⑤ $\left(1, \dfrac{4}{(\ln a)^3}\right)$

*Ans.*④

3. x에 대한 방정식 $-\dfrac{1}{2}\cos(2x)+\cos x-\alpha=0$이 구간 $[-\pi,\pi]$에서 서로 다른 4개의 실근을 가지도록 하는 α의 값의 범위를 구하시오.

① $\left(0,\dfrac{1}{2}\right)$ ② $\left(0,\dfrac{3}{4}\right)$ ③ $(0,1)$ ④ $\left(\dfrac{1}{2},1\right)$ ⑤ $\left(\dfrac{1}{2},\dfrac{3}{4}\right)$

*Ans.*⑤

4. 방정식 $\dfrac{x^2}{8}-a=\dfrac{1}{x}$의 근이 2개일 때, 실수 a는?

① 1 ② $\dfrac{3\sqrt[3]{2}}{2}$ ③ $\sqrt[3]{2}$ ④ $\dfrac{\sqrt[3]{2}}{4}$ ⑤ $\dfrac{3\sqrt[3]{2}}{4}$

*Ans.*⑤

5. 실수 전체에서 무한 번 미분가능한 함수 $f(x)$는 다음과 같이 자연수에서 함숫값의 부호를 교대로 갖는다.

$$f(0) > 0, \; f(1) < 0, \cdots, f(2019) < 0$$

이 때, 일반적으로 참인 명제들을 모두 고르시오.

    $a.$ $f'(x)$는 적어도 2019 개의 근을 갖는다.

    $b.$ $f''(x)$는 적어도 2017 개의 근을 갖는다.

    $c.$ 고차미분 $f^{(2019)}(x)$는 적어도 1 개의 근을 갖는다.

① a   ② b   ③ c   ④ a,c   ⑤ a,b,c

*Ans.*②

6. 다음은 0이 아닌 실수 전체에서 정의된 두 함수 $f(x) = x^2 + \dfrac{2}{x}$, $g(x) = ax + 3$의 교점에 대한 설명이다.(a는 임의의 실수)옳은 것을 모두 고르시오.

$a.$ $f(x)$와 $g(x)$의 교점의 개수는 3개 이하이다.

$b.$ $f(x)$와 $g(x)$의 서로 다른 교점의 개수가 정확히 2개가 되는 실수 a가 존재한다.

$c.$ $f(x)$와 $g(x)$의 교점이 없는 실수 a가 존재한다.

① a   ② b   ③ c   ④ a,c   ⑤ a,b

*Ans.*⑤

7. 함수 $f(x)=\ln(1+\cos x)$ $(-\pi<x<\pi)$의 메클로린 급수 $\sum_{n=0}^{\infty}a_n x^n$에 대해

$p_4(x)=\sum_{n=0}^{4}a_n x^n$라 하자. 이때 $p_4(1)$의 값은?

① $\ln2-\dfrac{19}{96}$ ② $\ln2-\dfrac{7}{32}$ ③ $\ln2-\dfrac{2}{96}$ ④ $\ln2-\dfrac{25}{96}$ ⑤ $\ln2-\dfrac{9}{32}$

*Ans.*④

8. $f(x)=\ln\{1+\sin(x^2)\}$의 *Macluarin* 급수를 오름차순으로 정리할 때 0이 아닌 세 번째 항의 계수는?

① $\dfrac{-1}{6}$ ② $\dfrac{-1}{2}$ ③ $\dfrac{1}{6}$ ④ $\dfrac{1}{2}$ ⑤ 1

*Ans.*③

9. 함수 $f(x) = \ln(1 + \sin x)$ 를 제곱근수로 전개하면 $f(x) = ax + bx^2 + cx^3 + \cdots$ 로 나타낼 수 있다. 이 때 $3(a+b+c)$ 의 값은 [＿＿＿＿] 이다.

(단, a, b, c 는 상수, $0 \leq x \leq \pi$)

Ans.2

10. 정의역이 $\{x | y \geq 0\}$ 인 함수 $f(x) = e^{x^3 + x}$ 는 역함수를 갖는다. 최고차항의 계수가 1인 어떤 실수계수 이차함수 $g(x)$ 에 대하여 $h(x) = (f \circ g \circ f^{-1})(x)$ 로 정의할 때, $h(1) = (h \circ h)(1) = e^{10}$ 을 만족한다고 한다. $g(1)$ 의 값을 구하시오.

① -2 ② -1 ③ 0 ④ 1 ⑤ 2

Ans.④

*회전변환

1. R^2에서 회전변환은 평면에서 반시계 방향으로 θ만큼 회전시킨다.

1) 표준행렬 : $\begin{pmatrix} \cos\theta & -\sin\theta \\ \sin\theta & \cos\theta \end{pmatrix}$

2) 성질 : ① $A^n = \begin{pmatrix} \cos n\theta & -\sin n\theta \\ \sin n\theta & \cos n\theta \end{pmatrix}$, ② $A^{-1} = A^T = \begin{pmatrix} \cos\theta & \sin\theta \\ -\sin\theta & \cos\theta \end{pmatrix}$

③ 직교행렬　　　　　　　④ $|A| = 1$

2. R^3에서 회전변환

1) x축을 중심으로 θ만큼 회전하는 표준행렬 : $\begin{pmatrix} 1 & 0 & 0 \\ 0 & \cos\theta & -\sin\theta \\ 0 & \sin\theta & \cos\theta \end{pmatrix}$

2) y축을 중심으로 θ만큼 회전하는 표준행렬 : $\begin{pmatrix} \cos\theta & 0 & \sin\theta \\ 0 & 1 & 0 \\ -\sin\theta & 0 & \cos\theta \end{pmatrix}$

3) z축을 중심으로 θ만큼 회전하는 표준행렬 : $\begin{pmatrix} \cos\theta & -\sin\theta & 0 \\ \sin\theta & \cos\theta & 0 \\ 0 & 0 & 1 \end{pmatrix}$

4) R^3에서 원점을 지나는 직선의 회전각 $\cos\theta = \dfrac{tr(A)-1}{2}$

※ 3차원 회전변환의 방향은 오른손 법칙을 따른다.

(중대,단국,국민,이대,한성,광운 등)

01. 행렬 $A = \begin{pmatrix} \cos\theta & -\sin\theta \\ \sin\theta & \cos\theta \end{pmatrix}$ 의 역행렬을 $B = \begin{pmatrix} a & b \\ c & d \end{pmatrix}$ 라고 할 때, $b+c$ 의 값을 구하면?

① $-\sin\theta$　　② $\cos\theta$　　③ $\sin\theta + \cos\theta$　　④ 0　　⑤ $2\sin\theta + 1$

02. 좌표평면 상의 점 $(1,2)$ 를 원점을 중심으로 $60°$ 회전하였을 때, 대응하는 점의 좌표는?

① $\left(\dfrac{1-2\sqrt{3}}{2}, \dfrac{2+\sqrt{3}}{2} \right)$ 　　② $\left(\dfrac{1+2\sqrt{3}}{2}, \dfrac{2-\sqrt{3}}{2} \right)$

③ $\left(\dfrac{1-\sqrt{3}}{4}, \dfrac{1+\sqrt{3}}{4} \right)$ 　　④ $\left(\dfrac{1+\sqrt{3}}{4}, \dfrac{1-\sqrt{3}}{4} \right)$

03. 행렬 $A = \begin{pmatrix} 1 & 0 & 0 \\ 0 & 0 & -1 \\ 0 & 1 & 0 \end{pmatrix}$ 은 R^3 의 원점을 지나는 직선에 관한 회전을 나타낸다. 회전축은?

① $y = x,\ z = 0$ 　　② x축 　　③ y축 　　④ z축

04. 행렬 $A = \begin{pmatrix} 0 & 0 & 1 \\ 1 & 0 & 0 \\ 0 & 1 & 0 \end{pmatrix}$ 은 R^3의 원점을 지나는 직선에 대한 회전을 나타낸다. 회전각은?

① $\dfrac{\pi}{3}$　　② $\dfrac{\pi}{2}$　　③ $\dfrac{2}{3}\pi$　　④ π

---

* 대칭변환

1. R^2에서의 대칭(반사)변환

1) x축에서 대칭(반사)행렬 : $\begin{pmatrix} 1 & 0 \\ 0 & -1 \end{pmatrix}$

2) y축에서 대칭(반사)행렬 : $\begin{pmatrix} -1 & 0 \\ 0 & 1 \end{pmatrix}$

3) 직선 $y = x$에서 대칭(반사)행렬 : $\begin{pmatrix} 0 & 1 \\ 1 & 0 \end{pmatrix}$

4) 직선 $y = -x$에서 대칭(반사)행렬 : $\begin{pmatrix} 0 & -1 \\ -1 & 0 \end{pmatrix}$

5) 원점을 지나는 직선에 대한 반사 : $H = \begin{pmatrix} \cos 2\theta & \sin 2\theta \\ \sin 2\theta & -\cos 2\theta \end{pmatrix}$

2. R^3에서의 대칭(반사)변환

1) xy평면에서 대칭(반사)행렬 : $\begin{pmatrix} 1 & 0 & 0 \\ 0 & 1 & 0 \\ 0 & 0 & -1 \end{pmatrix}$

2) xz평면에서의 대칭(반사)행렬 : $\begin{pmatrix} 1 & 0 & 0 \\ 0 & -1 & 0 \\ 0 & 0 & 1 \end{pmatrix}$

3) yz평면에서의 대칭(반사)행렬 : $\begin{pmatrix} -1 & 0 & 0 \\ 0 & 1 & 0 \\ 0 & 0 & 1 \end{pmatrix}$

05. 점 $A(5,6)$을 원점을 중심으로 시계 반대방향으로 $45°$만큼 회전한 후, 직선 $y=-x$에 관하여 대칭이동한 점을 $B(b,c)$라 하자. 이 때 $b+c$의 값은?

① $-5\sqrt{2}$ ② $5\sqrt{2}$ ③ $\dfrac{11\sqrt{2}}{2}$ ④ $-\dfrac{11\sqrt{2}}{2}$

06. x축의 양의 방향과 이루는 각이 $\dfrac{\pi}{6}$이며, 원점을 지나는 직선에 대하여 반사에 의한 벡터 $(1,1)$의 상은?

① $\left(\dfrac{1}{2}-\dfrac{\sqrt{3}}{2}, \dfrac{1}{2}+\dfrac{\sqrt{3}}{2}\right)$ ② $\left(\dfrac{1}{2}+\dfrac{\sqrt{3}}{2}, \dfrac{1}{2}-\dfrac{\sqrt{3}}{2}\right)$ ③ $\left(\dfrac{1}{2}-\dfrac{\sqrt{3}}{2}, -\dfrac{1}{2}+\dfrac{\sqrt{3}}{2}\right)$

④ $\left(\dfrac{1}{2}+\dfrac{\sqrt{3}}{2}, -\dfrac{1}{2}+\dfrac{\sqrt{3}}{2}\right)$

07. $M = \dfrac{1}{\sqrt{5}} \begin{bmatrix} 1 & 2 \\ 2 & -1 \end{bmatrix}$ 이 좌표평면에서 원점을 지나는 직선 l에 관한 대칭이동을 나타내는 행렬일 때, 직선 l의 방정식을 구하면?

① $y = (\sqrt{5}-1)x$ ② $y = (2\sqrt{5}-1)x$ ③ $y = (\sqrt{5}-2)x$ ④ $y = \left(\dfrac{\sqrt{5}-1}{2}\right)x$

08. 선형변환 $T : R^2 \to R^2$가 각 점을 직선 $y = -x$에 대하여 반사 (reflection)시키고 그 점을 y축에 대하여 반사시키는 변환일 때, T에 대한 표준행렬은?

① $\begin{pmatrix} 0 & -1 \\ -1 & 0 \end{pmatrix}$ ② $\begin{pmatrix} 0 & 1 \\ -1 & 0 \end{pmatrix}$ ③ $\begin{pmatrix} 0 & 1 \\ 1 & 0 \end{pmatrix}$ ④ $\begin{pmatrix} 0 & -1 \\ 1 & 0 \end{pmatrix}$

09. 점 $P(1,2,3)$을 양의 z축을 회전축으로 반시계방향으로 $\dfrac{\pi}{4}$ 회전한 후, yz평면에 대칭이동한 점의 좌표는?

① $\left(\dfrac{1}{\sqrt{2}}, \dfrac{3}{\sqrt{2}}, 3\right)$ ② $\left(\dfrac{-1}{\sqrt{2}}, \dfrac{3}{\sqrt{2}}, 3\right)$ ③ $\left(\dfrac{-3}{\sqrt{2}}, \dfrac{1}{\sqrt{2}}, 3\right)$ ④ $\left(\dfrac{3}{\sqrt{2}}, \dfrac{1}{\sqrt{2}}, 3\right)$

10. 선형변환 $T: R^3 \rightarrow R^3$가 각 점을 양의 y축을 중심으로 $\dfrac{\pi}{3}$만큼 시계반대방향으로 회전시키고, 그 점을 z축을 중심으로 $\dfrac{\pi}{6}$만큼 시계반대방향으로 회전시키는 변환일 때, 변환 T에 대한 표준행렬은?

① $\begin{pmatrix} \dfrac{\sqrt{3}}{4} & \dfrac{1}{4} & -\dfrac{\sqrt{3}}{2} \\ -\dfrac{1}{2} & \dfrac{\sqrt{3}}{2} & 0 \\ \dfrac{3}{4} & \dfrac{\sqrt{3}}{4} & \dfrac{1}{2} \end{pmatrix}$
② $\begin{pmatrix} \dfrac{\sqrt{3}}{4} & \dfrac{1}{2} & -\dfrac{3}{4} \\ -\dfrac{1}{4} & \dfrac{\sqrt{3}}{2} & \dfrac{\sqrt{3}}{4} \\ \dfrac{\sqrt{3}}{2} & 0 & \dfrac{1}{2} \end{pmatrix}$
③ $\begin{pmatrix} \dfrac{\sqrt{3}}{4} & -\dfrac{1}{4} & \dfrac{\sqrt{3}}{2} \\ \dfrac{1}{2} & \dfrac{\sqrt{3}}{2} & 0 \\ -\dfrac{3}{4} & \dfrac{\sqrt{3}}{4} & \dfrac{1}{2} \end{pmatrix}$
④ $\begin{pmatrix} \dfrac{\sqrt{3}}{4} & -\dfrac{1}{2} & \dfrac{3}{4} \\ \dfrac{1}{4} & \dfrac{\sqrt{3}}{2} & \dfrac{\sqrt{3}}{4} \\ -\dfrac{\sqrt{3}}{2} & 0 & \dfrac{1}{2} \end{pmatrix}$

11. 행렬 $A = \begin{pmatrix} -\dfrac{\sqrt{3}}{2} & 0 & -\dfrac{1}{2} \\ 0 & 1 & 0 \\ \dfrac{1}{2} & 0 & -\dfrac{\sqrt{3}}{2} \end{pmatrix}$ 에 대하여 A^{2021}을 구하시오.

① $\begin{pmatrix} \dfrac{\sqrt{3}}{2} & 0 & -\dfrac{1}{2} \\ 0 & 1 & 0 \\ \dfrac{1}{2} & 0 & \dfrac{\sqrt{3}}{2} \end{pmatrix}$ ② $\begin{pmatrix} -\dfrac{1}{2} & 0 & \dfrac{\sqrt{3}}{2} \\ 0 & 1 & 0 \\ -\dfrac{\sqrt{3}}{2} & 0 & -\dfrac{1}{2} \end{pmatrix}$ ③ $\begin{pmatrix} -1 & 0 & 0 \\ 0 & 1 & 0 \\ 0 & 0 & -1 \end{pmatrix}$ ④ $\begin{pmatrix} 1 & 0 & 0 \\ 0 & 1 & 0 \\ 0 & 0 & 1 \end{pmatrix}$ ⑤ $\begin{pmatrix} -\dfrac{\sqrt{3}}{2} & 0 & -\dfrac{1}{2} \\ 0 & 1 & 0 \\ \dfrac{1}{2} & 0 & -\dfrac{\sqrt{3}}{2} \end{pmatrix}$

12. 행렬 $A = \begin{pmatrix} \dfrac{\sqrt{3}}{2} & 0 & -\dfrac{1}{2} \\ 0 & -1 & 0 \\ \dfrac{1}{2} & 0 & \dfrac{\sqrt{3}}{2} \end{pmatrix}$ 와 두 벡터 $x = (0, 1, 1)^T$, $y = \left(-\dfrac{1}{2}, 0, \dfrac{\sqrt{3}}{2}\right)^T \in R^3$ 에 대하여

내적 $(A^{2022}x) \cdot (A^{2021}y)$ 의 값은?

① 0   ② 1   ③ 1011   ④ 2021   ⑤ 2022

*Ans.*②

13. 2차원 xy-직교좌표계 상에 놓인 타원 $4x^2+y^2=4$을 원점을 중심으로 반시계 방향으로 $30\,°$ 회전시켰을 때 생긴 곡선의 방정식을 구하시오.

① $13x^2+3\sqrt{3}\,xy+7y^2=4$

② $13x^2+3\sqrt{3}\,xy+7y^2=16$

③ $7x^2+6\sqrt{3}\,xy+13y^2=4$

④ $13x^2+6\sqrt{3}\,xy+7y^2=16$

⑤ $7x^2+6\sqrt{3}\,xy+13y^2=16$

*복소행렬

실수행렬	복소행렬
대칭행렬 $A = A^T$	에르미트 행렬 $A = A^*$
교대행렬 $A = -A^T$	반 에르미트 행렬 $A = -A^*$
직교행렬 $A^{-1} = A^T$	유니타리 행렬 $A^{-1} = A^*$

$A^* = (\overline{A})^T$

1. 복소수 원소를 갖는 정방행렬 $A = [a_{ij}]$가 $A = A^*$를 만족하면 Hermitian 행렬이라 한다. 여기서 $A^* = [\overline{a_{ji}}] = \overline{A}^T$이고 $\overline{a_{ji}}$는 a_{ji}의 공액복소수이다.

n차의 두 Hermitian 행렬 A, B에 대하여 다음 중 Hermitian 행렬이 아닌 것은?

① $A + B$ ② AB ③ A^2 ④ A^T

Ans. ②

2.다음 중 복소행렬 $A = \begin{pmatrix} 1 & 1+i \\ 1-i & 2 \end{pmatrix}$를 대각화하는 유니터리 행렬은?

① $\dfrac{1}{\sqrt{3}}\begin{pmatrix} -1-i & 1 \\ 1 & 1-i \end{pmatrix}$ ② $\dfrac{1}{\sqrt{3}}\begin{pmatrix} 1+i & 1 \\ 1 & -1+i \end{pmatrix}$ ③ $\dfrac{1}{\sqrt{3}}\begin{pmatrix} 1+i & -1 \\ 1 & 1-i \end{pmatrix}$

④ $\dfrac{1}{\sqrt{3}}\begin{pmatrix} 1 & 1-i \\ -1-i & 1 \end{pmatrix}$ ⑤ $\dfrac{1}{\sqrt{3}}\begin{pmatrix} -1 & 1-i \\ 1+i & 1 \end{pmatrix}$

$Ans.$ ①

3. 실수 a, b, c, d에 대하여 다음 행렬이 유니타리(unitary) 대각화가 가능할 필요충분조건은?
$$\begin{bmatrix} a+bi & c+di \\ c+di & -a-bi \end{bmatrix}$$

① $b=0, c=0$

② $a^2+b^2+c^2+d^2 = 1, ad-bc = 0$

③ $ad-bc = 0$

④ $a^2+b^2+c^2+d^2 = 1$

⑤ $a=0, d=0$

4. 다음 행렬에 관한 설명 중 옳지 않은 것을 고르면?

$$A = \begin{bmatrix} 1 & i & 0 & 2 \\ -i & -1 & 1 & 1+i \\ 0 & 1 & -1 & 4 \\ 2 & 1-i & 4 & 1 \end{bmatrix}$$

① $A^* = A$

② A는 유니타리 대각화 가능하다.

③ A의 고윳값은 모두 실수이다.

④ v가 A의 고유벡터이면 $A^* v$도 A의 고유벡터이다.

⑤ A의 고윳값의 절댓값은 모두 1이다.

$Ans.$ ⑤